Les Misérables

1 🗣️💬 **Écoute et regarde la BD ! Puis décris Jean Valjean, son aspect**

---

1. Toulon : *une ville près de Marseille, au bord de la mer Méditerranée, à plus d'une centaine de kilomètres « à vol d'oiseau » de la petite ville de Digne en Provence.* – 2. un forçat : *un criminel condamné aux travaux forcés.* – 3. un bagne : *un établissement pénitentiaire (une prison) où sont internés les forçats. Le bagne de Toulon fut le plus grand bagne de France. Il disparut en 1873. On y employa 4 000 forçats aux travaux les plus pénibles sur le port ou dans les carrières de pierre.*

Les Misérables

*un(e) misérable : ce mot a plusieurs sens : une personne malheureuse, une personne très pauvre, mais aussi une personne malhonnête et méchante. Victor Hugo, dans son roman « les Misérables », fait incarner par ses personnages chacune des définitions de ce mot.

Les Misérables

[3] 💬 Écoute et regarde la BD ! Puis décris le caractère des personnages !

À Montreuil-sur-Mer[1] en 1823...

1
Ets Madeleine
Infirmerie
Monsieur Madeleine, vous êtes ici depuis 7 ans ! Vous êtes généreux : vous nous donnez à tous du travail et nous sommes heureux !

2
Allons voir la nouvelle infirmerie !
Infirmerie
Une jeune femme vient d'arriver, très malade. Elle s'appelle Fantine.

3
Aidez-moi ! Je vais mourir : je veux revoir Cosette, ma fille !

4
Elle est chez les Thénardier à Montfermeil[2]. Allez la chercher ! Ramenez-la, je vous en prie !

5
Ah ! Au secours !
Ce n'est pas pour vous qu'il vient !

6
Monsieur Madeleine !
Il n'y a pas de « monsieur Madeleine » ! Il y a un voleur, il y a un forçat, il y a Jean Valjean !

7
Regardez ! Fantine est morte !

8
Le soir même...

---

1. Montreuil-sur-Mer : *une petite ville près de Calais, dans le nord de la France* – 2. Montfermeil : *une petite ville à l'est de Paris.*

3. fainéant : *paresseux*

Les Misérables

🎧 4 💬 Écoute et regarde la BD ! Puis raconte l'histoire de Cosette !

1 Viens ! Nous rentrons à l'auberge !

2 Comment tu t'appelles ?
Cosette
Tu as quel âge ?
J'ai huit ans.

3 C'est moi qui dois porter le seau ! Sinon...

4 Bonsoir ! Je voudrais manger et dormir.

5 Il faut payer d'avance !
C'est combien ?
Quarante sous !
Les voilà.

6 Comme elle est triste et malheureuse !

7 Vous regardez la petite ! Ah, elle nous coûte cher : il faut l'habiller, la nourrir...

8 Et si je la prenais avec moi ?
Mais, je l'adore, moi, Cosette ! Et puis, elle travaille beaucoup...

9 Il me faut quinze cents francs !
Les voilà !

10 Tiens, c'est pour toi ! Mets-les vite, il faut partir...

Les Misérables

🎧 💬 Écoute et regarde la BD ! Puis mets-la en scène avec tes camarades !

1 À Paris en 1832...

Bonjour ! Je m'appelle Marius ! Marius Pontmercy.

2

J'ai 20 ans. Je voudrais être avocat ! Pourquoi est-ce que je travaille dans une librairie ?

Parce que j'ai besoin d'argent...

3

Bonjour, On se voit chez Combeferre à 18 heures 30 ! À plus tard, Courfeyrac + Enjolras

4

Combeferre, Courfeyrac, Enjolras ? Ce sont mes amis. Nous partageons tous nos secrets ! J'y vais !

Un peu plus tard...

Entre vite !

5

Nous sommes pour la liberté, pour la tolérance et pour le respect de tous !

6

7

Nous sommes pour l'égalité, l'harmonie et la justice !

8

Nous sommes pour l'amitié et la fraternité !

Vive notre amitié !

Plus tard...

Bonsoir...

Oui, bonsoir, bonsoir...

Marius Pontmercy

9

10 Tu connais le jeune homme à côté ?

Le lendemain, au jardin du Luxembourg...

Il est tard, je me dépêche...

11

Oh, comme elle est belle ! Est-ce qu'elle vient souvent ici ?

12

13

Oh, comme il est beau ! Est-ce qu'il vient souvent ici ?

Quels beaux yeux, quel joli sourire !

14

Quels beaux yeux, quel joli sourire !

15

Le jour suivant...

Vive la liberté et la justice !

16

Vive l'amitié et... l'amour ! À bientôt !

17

Tu vas où ?

Au jardin du Luxembourg !

Ah, ah ! « Elle » habite au jardin du Luxembourg ?

Euh... je ne sais pas.

18

Où est-ce qu'elle va ? J'ai besoin de savoir où elle habite.

19

Lui parler... Est-ce que je pourrais lui parler ?

20

Ah ! Je l'ai perdue... Je suis désespéré !

21

À suivre...

Les Misérables

🎧 6 💬 Écoute et regarde la BD ! Puis décris un ou deux personnages : les Thénardier, Marius, Cosette ou Javert !

Les Misérables

7 Écoute et regarde la BD ! Puis raconte l'histoire !

Les Misérables

[8] 💬 Écoute et regarde la BD ! Puis décris « l'emploi du temps » de Gavroche !

* Maximilien Lamarque : Général et homme politique, il fut l'un des chefs de l'opposition républicaine pendant le règne de Louis-Philippe (la « monarchie de Juillet »). Son enterrement fut l'occasion de la première insurrection républicaine de ce règne les 5 et 6 juin 1832, au cours de laquelle les insurgés furent en grande partie massacrés par la garde nationale (voir pages 17-18).

Les Misérables

Paris, le 5 juin 1832...

Il faut nous cacher ou nous protéger !

Construisons une barricade !

Regardez ! Notre barricade ressemble à mon éléphant !

Qu'est-ce qui se passe ? C'est qui ?

Je le connais ! C'est un policier !

Préparez vos armes ! Les soldats vont bientôt arriver.

Voilà les soldats ! Ils attaquent !

Elle a l'air têtue !

Non ! Arrêtez !

Les Misérables

11 Tiens, tiens, camarade ! Tu as tué un homme ?

12 Tu as tué cet homme pour son argent, non ? Alors, donne-moi cet argent et je t'ouvre la porte.

C'est Thénardier ! Est-ce qu'il m'a reconnu ?

13 Tu l'as tué pour pas cher...

14 Je prends un morceau de son habit... comme souvenir !

15

16

J'ai vu Thénardier... et maintenant je vois Javert : c'est un vrai cauchemar !

17

18 Bonjour, Jean Valjean ! Montez avec Marius ! On le reconduit chez lui.

Oh, Monsieur Marius ! J'appelle un médecin !

19

Un peu plus tard...

20

Vous m'arrêtez ?

Non, vous m'avez sauvé la vie : partez, vous êtes libre !

21

À suivre...

Les Misérables

[11] 💬 Écoute et regarde la BD ! Puis mets-la en scène avec tes camarades !

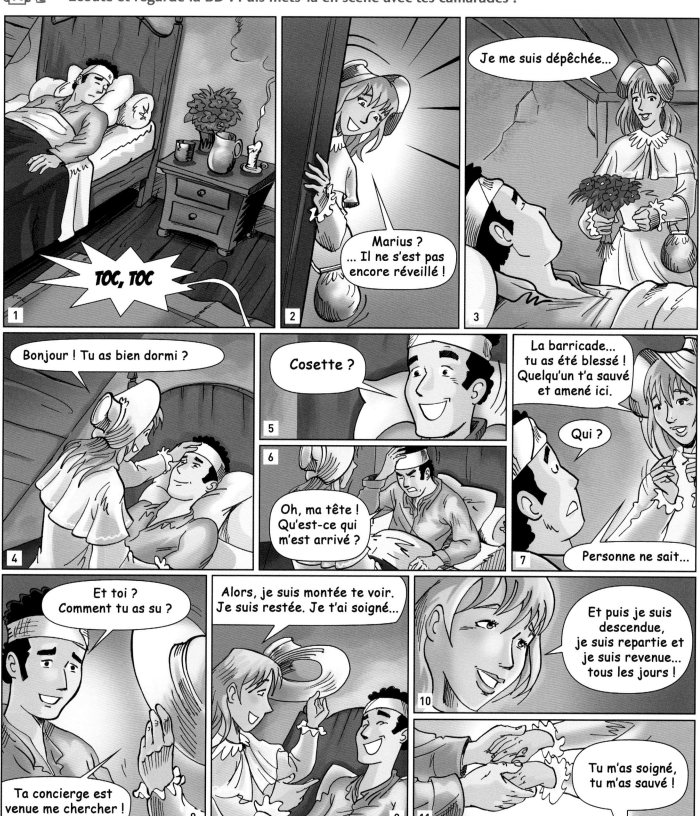

Un mois plus tard...

Alors, quand est-ce que vous allez vous marier ?

Bientôt, la semaine prochaine !

Tous vos amis vont venir !

13

Mes amis...
Ils sont tombés sur
la barricade !

Vos amis sont des héros.
Vous aussi, vous êtes un héros !

Une semaine plus tard...

14

Venez Marius, j'ai
quelque chose
à vous dire !

15

Je ne suis pas
« Monsieur Madeleine ».
Je m'appelle Jean Valjean.
Je suis un ancien forçat.

16

Et je ne suis pas
le père de Cosette...

17

18

Cosette

19

Cosette ! Qu'est-ce
que je vais devenir ?

20

À suivre...

22

Les Misérables

Imprimé en France par Chirat en mai 2016
N° de projet : 10226856
Dépôt légal : Septembre 2013
N° d'impression : 201605.0098